# 길 잃은 어린 도깨비

글 ● 메르세 캄페니 Mercè Company
그림 ● 어구스티·A·사우리 Agusti Asensio Sauri

이 남자아이는 미하일입니다.
미하일과 놀고 있는 아이는 도깨비인데
이름은 푸요푸요입니다.
둘은 무척 사이가 좋습니다.
오늘도 어두워질 때까지
밖에서 같이 놀았습니다.

"더 늦어지면, 아빠랑 엄마한테 야단맞을 거야."
하고 둘은 서둘러서 집으로 돌아갔습니다.
그 때, 이상한 울음소리가 들렸습니다.
"응애, 응애, 응애."
그것은 갓난 아기도깨비의 울음소리였습니다.

4

갓난 아기도깨비는 혼자였습니다.
게다가, 무척 배가 고픈 모양이었습니다.
"푸요푸요 말고도 도깨비가 있었구나."
미하일은 깜짝 놀랐습니다.
"우선, 집으로 데리고 가서 우유를 먹여야겠다."

미하일의 아빠와 엄마는
아직 일터에서 돌아오지 않았습니다.
그래서 미하일이 갓난 아기도깨비에게
따뜻한 우유를 만들어 주었습니다.

미하일과 푸요푸요는
갓난 아기도깨비의 아빠와 엄마를
찾아 주기로 했습니다.
미하일은 밖으로 나가면서
편지를 써서 문에 붙였습니다.

곧 돌아올게요.
걱정하지 마세요.
아빠와 엄마께
미하일.

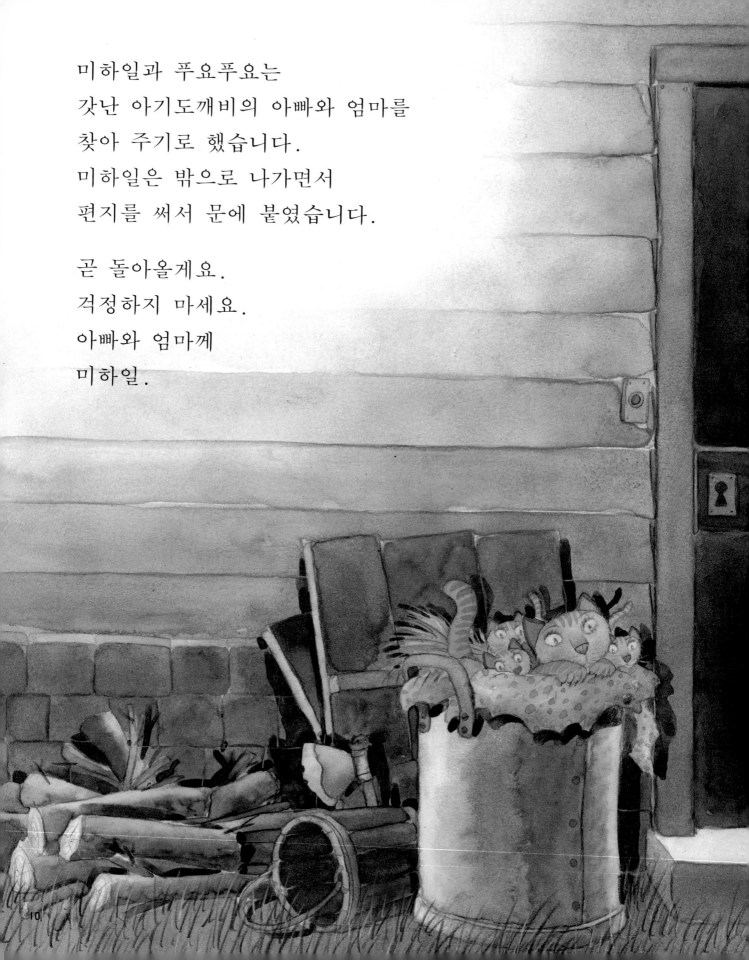

마을에서 조금 떨어진 곳에 풍찻집이 있었습니다.
"여기에 도깨비 아저씨 호요호요가 살고 있어.
무엇이든지 알고 있는 척척박사 아저씨야." 하고
푸요푸요가 말했습니다.
"여기에도 도깨비가 살고 있니?"
미하일은 또 깜짝 놀랍니다.

"음, 그 갓난 아기는 후게후게란다."
호요호요 아저씨가 말합니다.
"후게후게 엄마는 조금 전에
양복점의 치쿠치쿠와
이야기를 하고 있었단다."

치쿠치쿠도 도깨비입니다.
미하일은 또 한 번 깜짝 놀라고 말았습니다.
치쿠치쿠는 이렇게 말했습니다.
"후게후게의 엄마는
도데도데가 알고 있지."

도데도데는 나팔을 잘 부는
도깨비였습니다.
미하일은 이번에도 깜짝 놀랍니다.
"후게후게의 엄마를 찾고 있어요."
하고 푸요푸요가 말하자,
도데도데가 가르쳐 주었습니다.
"후게후게의 엄마는
축제 준비를 하고 있단다."

"오늘 밤은 도깨비들의 축제란다.
우리들도 지금부터 갈 거야."
도데도데는 그렇게 말하고
숲 속으로 갔습니다.

숲 속에는 케이크의 냄새가
가득 차 있었습니다.
"엄마, 엄마!"
미하일의 어깨 위에서
후게후게가 소리쳤습니다.
후게후게의 엄마는
마침 케이크를
만들고 있었습니다.

후게후게의 엄마는
아이를 안으며 아빠에게 말했습니다.
"축제 케이크는 나혼자 해야 하니까
후게후게를 잘 돌봐달라고 부탁했잖아요."
아빠는 멋쩍어서 머리를 긁적거렸습니다.

"후게후게를 도와 주어서 고마워."
도깨비 친구들이 푸요푸요와 미하일에게
리본을 달아 주었습니다.
많은 도깨비들이 박수도 쳐 주었습니다.
미하일은 이제 놀라지 않았습니다.
"이제부터 모두 사이좋게 지내자."
하고 푸요푸요가 미하일에게 속삭였습니다.

**WORLD PICTURE BOOK**

## 길 잃은 어린 도깨비

### 어린이 여러분께

도깨비 이야기는 많이 있지만 이 책의 이야기는 도깨비 나라에 가는 과정을 그렸습니다. 도깨비 나라에 등장하는 도깨비의 종류 때문에 많은 고민을 하기도 했습니다.

여러 도깨비들의 이야기를 읽으며 상상의 세계에 빠져 마음껏 놀았으면 하는 바람으로 이 책을 썼습니다.

글 ● 메르세 캄페니
(Mercè Company)

■ 1947년 스페인 바로셀로나에서 태어나다.
■ 신문기자이며 각본가.
■ 어구스티·A· 사우리의 아내이다.

그림 ● 어구스티·A· 사우리 (Agusti Asensio Sauri)

■ 1949년 스페인 바로셀로나에서 태어나다.
■ 혼자서 공부한, 그림책 화가이다.

World Picture Book ⓒ1985 Gakken Co., Ltd. Tokyo.
Korean edition published by Jung-ang Educational Foundation Ltd. by arrangement through Shin Won Literary Agency Co. Seoul, Korea.

■ 발행인 / 장평순　■ 편집장 / 노동훈
■ 편집 / 박두이, 김옥경, 이향숙, 박선주, 양희숙, 김수열, 강혜숙
■ 제작 / 이해덕, 문상화, 장승철
■ 발행처 / 중앙교육연구원 (주) (서울시 종로구 관철동 258번지)
　　　　　대표전화 / 735-9600, 등록번호 / 제2-178호
■ 인쇄처 / 갑우문화주식회사 (서울특별시 영등포구 양평동 1가 119번지)
■ 제본 / 태성제책(주) (서울특별시 구로구 가리봉동 505-13)
■ 1판 1쇄 발행일 / 1988년 12월 30일, 1판 16쇄 발행일 / 1996년 10월 20일
■ ISBN 89-21-40247-0, ISBN 89-21-00003-8(세트)